はじめに　「選択的夫婦別姓」——その違和感の正体

椎谷　哲夫

「われわれ」という無意識の絆で結ばれる家族

石原輝（あきら）という著名な弁護士がかつて、「本来夫婦というものは『われわれ』という連帯意識で最小単位の社会集団を構成し、相倚（あいよ）り相扶（あいたす）けあって世の荒波をくぐりぬけていくものである」「夫婦別姓は、意識のうえで『われ』と『われ』という個別的対立的なものであって、いわば他人意識といえるものである」と指摘したことがありました（『現代のエスプリ』１９８９年）。生物学的血縁関係にない夫婦が同じ姓を共有することの意義を、これほど端的にわかりやすく言い表した表現はないかもしれません。

夫婦という最小単位に子どもが加われば、親子、兄弟姉妹という新たな関係が生まれます。親子はもう一段強い意味の「われわれ」という一体感でつながるでしょうし、兄弟姉妹を含む家族全体が「われわれ」という絆で結ばれることになります。

しかし、選択的夫婦別姓制度になって夫婦が別姓を選択すると、親子も当然ながら別姓になります。夫婦は自分たちの意思と都合だけによって別姓にできるのですが、子どもは、父母の両方と血縁で結ばれているにも拘わらず、片方の親の姓に属することを強いられます。当然ながら、そこに子どもの意思は入りません。それでも、子どもは常に父と母の二つの姓を「意識」して生きていかなければなりません。石原氏の表現を借りれば、自分と父母との関係が果たして「われわれ」なのか、それとも「われ」と「われ」なのか、わけのわからない状態に置かれることになります。子どもにとっては、大人が思っている以上に大きな負担であるはずです。これらは、選択的夫婦別姓が内包する最大の問題であり、欠点でもあります。

内閣府世論調査を〝改ざん〟した地方議会の意見書

ある地方議会が選択的夫婦別姓制度導入を求める「意見書」を可決したと聞き、実際にその意見書を読んで驚いた経験があります。意見書の冒頭にはこのようなことが書かれていました。

「2018年2月に内閣府が公表した世論調査では（中略）選択的夫婦別姓導入に賛成・容認と答えた国民は六十六・九％となり、反対の二十九・三％を大きく上回ったことが明らかになりました」

気になったので、ネットで内閣府の世論調査の結果を検索してみました。すると、「六十六・九％」という数字は、「選択的夫婦別姓のための法改正賛成」の四十二・五％に、「夫婦は必ず同じ名字を名乗るべきだが、婚姻前の名字を通称としてどこでも使えるように法律を改めることについてはかまわない」の二十四・四％を足したものだったのです。後者は「夫婦は必ず同じ名字を名乗るべきだ」という前提に立っているので、賛成でも容認でもありません。あえて二つに分けるのであれば、「夫

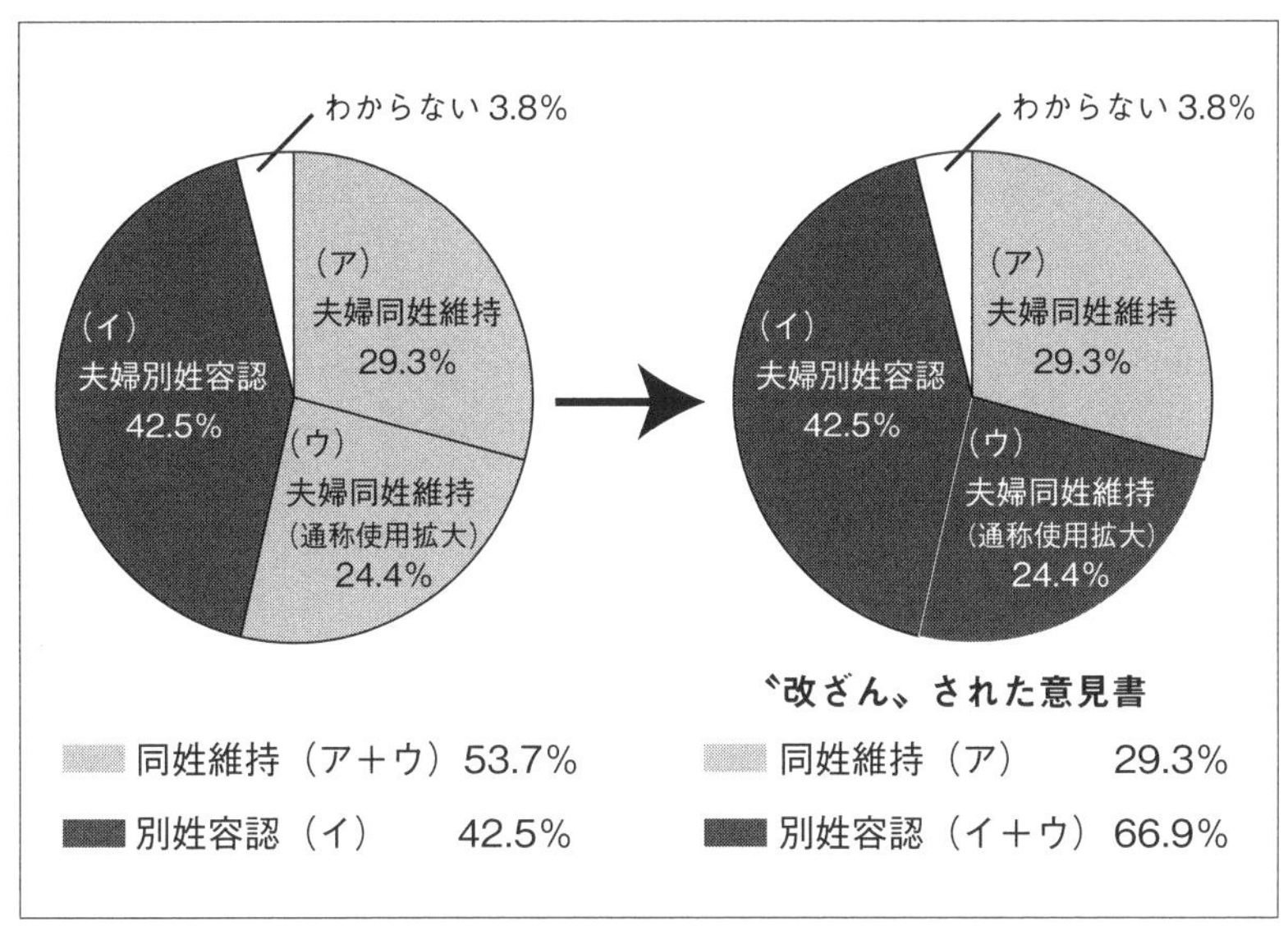

内閣府「家族の法制に関する世論調査」（平成29年12月実施）

婦同姓維持が五十三・七％」「選択的夫婦別姓導入が四十二・五％」とすべきなのです。令和3年（2021）6月の最高裁決定で示された二度目の合憲判断で、多数派の裁判官三人が「法制度をめぐる国民の意識のありようがよほど客観的に明らかといえる状況にある場合にはともかく、選択的夫婦別氏制の導入について、今なおそのような状況にあるとはいえない」と補足意見を述べた背景には、まさにこの内閣府世論調査の結果があったのです（Q1・Q3参照）。

ところが、そうした指摘を無視するように、次々に地方議会で同様の意見書が可決され、ほぼ同じ表現で「選択的夫婦別姓導入に賛成・容認が反対を大きく上回った」と記されていました。新聞などの記事であれば、「訂正とお詫び」を迫られる内容です。

令和3年3月3日の参議院予算委員会を聴

く機会があり、その時に初めて「意見書」の謎が解けた気がしました。旧姓を通称使用している丸川珠代内閣府特命担当大臣に対し、夫婦別姓導入運動を主導して来たある議員が「丸川というのは旧姓ですよね。家族で姓が違うじゃないですか」と的外れな質問をしたのです。「夫と違う姓（旧姓）を使うのは夫婦別姓だ」と言いたかったようです。地方議会の意見書もこれと似た理屈だと思われますが、「白い鷺（さぎ）」を「黒い烏（からす）」と言い張るような無理があります。旧姓の通称使用と夫婦別姓はどう考えても対極にあるからです。

意見書は「地方自治法第九十九条」にもとづいて議会が可決し、その「意思」を示すものです。選択的夫婦別姓の法制化や議論の活性化を求める意見書の多くが「選択的夫婦別姓・陳情アクション」という団体の後押しで採択されていることは周知の事実ですが、それはさておき、自信があるのなら、小細工などしないで、関連する世論調査の結果をそのまま載せればよいのです。

これに対し、選択的夫婦別姓に反対の立場で、岡山県議会に続いて熊本県議会が可決した意見書（巻末資料②③参照）には、同じ内閣府世論調査について「同姓（通称使用含む）を名乗るのが良いという考え方が五十三・七％、別姓導入賛成は四十二・五％と意見が分かれており」とあります。極めて公正な扱いに救われた思いがしました。

「選択制だから、まっ、いいか」では済まされない

そういう筆者も、「夫婦の姓の問題」に前々から強い関心を持っていたわけではありません。「ど

うしても夫婦別姓にしたい人がいるのなら、その人たちの責任で選べばいいんじゃないの」という程度の認識でした。いわゆる「まっ、いいか」という類（たぐい）です。しかし、こうした地方議会の意見書などの実態を知るにつれ、これまで何となく感じていた違和感が何だったのかが分かってきました。それが、このブックレットを出すきっかけにもなりました。

このところ、新聞・テレビも一部を除いて「選択的夫婦別姓を急げ」の大合唱を続けています。本来なら、前述した意見書の世論調査結果に関する問題などは、マスコミが気づいて指摘するべきものです。朝日新聞は令和2年12月18日の社説で、政府の第五次男女共同参画基本計画（同月25日に閣議決定）について、「選択的夫婦別姓制度の導入」という表現が消えたことに噛みつきました。基本計画に影響を与えた国会議員について、「人権感覚のなさと時代錯誤ぶりにあきれるばかりだ」と責め立てました。それよりも問題なのは、内閣府の世論調査の部分です。「『法律を改めても構わない』が四十二・五％で、『改める必要はない』の二十九・三％を大きく上回った」と記し、「夫婦同姓を前提とした旧姓の通称使用の法改正」に賛成した二十四・四％の声については触れませんでした。さすがに、前述した意見書のような細工まではしませんでしたが、「書かない自由」によって大切な情報が無視されたのです。

話は突然、「ドラえもん」に移ります。令和2年（2020）11月、全国紙に「ドラえもん」五十周年を記念した映画『STAND　BY　ME　ドラえもん2』のカラー広告が載りました。この中に「しずかちゃん」が「のび太」に書いた愛のメーセージがあり、「野比しずか」と記してありました。野比はのび太の姓なので、しずかちゃんは結婚して「野比」姓になったのです。

国民的人気の「ドラえもん」の二人の結婚ですから、ツイッターなどでも話題になりましたが、その中にこんな投稿がありました。「どうして、しずかちゃんは、ここまでのび太に媚びて姓も『野比』に変えられて、のび太に尽くすような表象で描かれているんだろうか？」。

他にも、しずかちゃんが改姓したことに怒っているかなりの数の投稿がありました。実際に「選択的夫婦別姓」が導入されたら、こうした広告や映画は「女性蔑視」などと攻撃されるのでしょう。彼らの攻撃の矛先がこんなところにまで及んでいるのを知って、「選択的」であることの本質を見てしまった気がします。

選択的夫婦別姓運動に潜む「異質なもの」

気になることは他にもあります。「跡取りがいない実家の姓（家名）を継ぐために夫婦別姓にしたい」という女性などの意見です。実家のことを心配する気持ちは尊いのですが、生まれたばかりの自分の子には継がせることができたとしても、孫にまで継承できる保証は何一つないのです。孫に継がせるには、その父親や実家の同意も得なければなりません。そもそも、「家意識」からの脱却を説くのが選択的夫婦別姓推進派の中心となっている人たちです。元々、両者は異質なものなのです。

また、別姓派は表だって「戸籍の廃止」を掲げてはいませんが、さらりと「戸籍の維持は別途議論の余地がある」などとも言っています。これを知ってか知らずか、保守系の一部の地方議員や国会議員が選択的夫婦別姓の導入に前のめりになっています。自民党の「選択的夫婦別氏制度を早期に実現する議員連盟（会長・浜田靖一衆議員議員）」は令和3年8月下旬、総会に立命館大学の二宮周平教授を講師に招く予定を立てました。コロナ感染拡大を理由に延期になりましたが、二宮教授は以前から「戸籍制度を個人単位の家族関係登録制度に転換すべき」と主張しています。この議連は同年6月の「中間とりまとめ」で、明確に「戸籍は現状維持」と明記していたはずです。同教授が「安保関連法に反対する立命館学園有志のウェブサイト」に賛同者として名を連ねていることもあって、さすがに同議連内部からも、議論の進め方に疑問の声が出始めたと聞いています。

　さまざまな問題を孕みながらも、選択的夫婦別姓法案を国会でいっきに通してしまおうというのが、別姓推進派の狙いです。しかし、世間では想像以上に違和感を持っている人が多いというのが実感です。ネットなどを使って組織的に行われている声高なキャンペーンが、〝静かな反対〟の声をかき消しているのです。報道する側にも問題があって、ある全国紙の社会部記者は「選択的夫婦別姓に少しでも異論を挟むと、社内で白い目で見られる」と嘆いています。

　そうした中、「婚姻前の氏の通称使用に関する法律案」が対案として注目されています。最高裁は平成27年（2015）の最初の合憲判断で、改姓による不利益について「婚姻前の氏の通称使用が広まることにより一定程度緩和され得る」として現状への評価と期待感を示しました。通称使用の範囲は当時より大きく進んでおり、これを法制化して改姓の不利益をさらに減らすことこそ、最高裁の期待に添うものでもあると思います。

夫婦別姓に隠された〝不都合な真実〟――「選択的」でも賛成できない15の理由(わけ)

Q1

最高裁大法廷は令和3年（2021）6月、「夫婦同姓制度」について二度目の合憲判断を示しました。その意義をどう捉えればよいでしょうか？

今回の家事審判の決定で最高裁は「平成27年12月の大法廷判決の趣旨からも（合憲は）明らかだ」としています。その判決では、子の姓が両親と同じであることの意義や旧姓の通称使用が広まることへの期待も示しています。

最高裁は今回、夫婦同姓を定めた民法と、婚姻届に「夫婦が称する氏」を記載すると定めた戸籍法は、婚姻に関する「個人の尊厳と両性の本質的平等」などを規定した憲法二十四条に違反しないとの判断を示しました（資料⑦参照）。合憲の理由については、「平成27年の最高裁大法廷判決の趣旨からも明らかだ」としています。

合憲判決のポイントは以下の七つに絞られます。

❶家族は社会の自然かつ基礎的な集団単位と捉えられ、その呼称を一つに定めることには合理性が認められる　❷家族という一つの集団を構成する一員であることを対外的に公示し識別する機能を有する　❸嫡出子であることを示すために子が両親双方と同氏である仕組みを確保することに一定の意義がある　❹同一の氏を称することで、家族という一つの集団の構成員であることを実感することに意義を見いだす考え方は理解できる　❺子の立場として、両親と氏が同じであることによる利益を享受しやすい　❻制度自体に男女間の形式的な不平等は存在せず、いずれの氏を称するかは夫婦となろうとする者の協議による自由な選択

に委(ゆだ)ねられている ❼改姓に伴う不利益は婚姻前の氏（旧姓）の通称使用が広まることにより一定程度は緩和され得る

最高裁は「国会で議論し判断すべき課題だ」との考えを示しましたが、司法の原則を述べたもので、選択的夫婦別姓の導入を促したのではありません。（導入について）国民の意識が今なお明らかな状況ではない、とする裁判官の補足意見も注目されます。

「憲法の番人の役目果たさず」「正面から憲法判断することを避けた」などの見出しを掲げて批判する新聞もありましたが、最高裁は合議によって「合憲」という判断を下し、その理由を五年半前の判決の趣旨に依(よ)ったのです。

今回の決定で最高裁は、「この種の制度のあり方は国会で議論し判断すべきだ」とも述べました。これを都合よく解釈して、夫婦別姓制度の導入を後押ししているかのような印象を与えかねない記事もありましたが、そうではありません。最高裁は明確に「夫婦の姓についてどのような制度を採るのが立法政策として相当かという問題は（中略）憲法適合性の審査の問題とは次元が異なる」と述べています。

裁判所はそもそも、法律などのルールが憲法に反していないかどうかをジャッジするところですから、判決や決定が立法権を侵害することは避けなければなりません。また、あえて「次元が異なる」とする一文を入れたのは、立法権の侵害にならないよう自らを戒(いまし)めたと言えるかもしれません。選択的夫婦別姓を求める側が少しでも有利な判決を得ようとして訴訟を乱発していることへの牽制(けんせい)とする捉え方もあります。

なお、決定では多数派の補足意見の中で、長嶺安政裁判官など三人の裁判官が**「法制度をめぐる国民の意識のありようがよほど客観的に明らかといえる状況にある場合にはともかく、選択的夫婦別氏制の導入について、今なおそのような状況にあるとはいえない」**と述べたことも注目されます（Q３参照）。

Q2

「別姓賛成が七割以上」という民間団体の調査結果に、「偏った解釈」などという強い批判が出ています。いったいどんな調査だったのでしょうか？

合同で調査をした早大教授自身が「（調査結果が）賛成・反対に色分けできるか問題がないわけではない」と認めています。菅首相は国会で「聞き方とかそういうことで（結果が）変わってくる」と答弁しました。

「選択的夫婦別姓・全国陳情アクション」という団体が令和2年（２０２０）10月、早稲田大学の棚村政行研究室と合同で意識調査（インターネットモニター調査）を行い、「賛成意見が七割」だったと発表しました。調査では次の四つの選択肢を示しました（数字は回答者の割合）。

①自分は夫婦同姓がよい。他の夫婦も同姓であるべきだ（十四・四％）

②自分は夫婦同姓がよい。他の夫婦は同姓でも別姓でも構わない（三十五・九％）

③自分は夫婦別姓が選べるとよい。他の夫婦は同姓でも別姓でも構わない（三十四・七％）

④その他、わからない（十五・〇％）

主催団体は、このうち②の「自分は夫婦同姓がよい。他の夫婦は同姓でも別姓でも構わない」を選んだ人を「別姓賛成」に色分けしましたが、果たしてどれだけの人が自分を賛成派だと思っているのか疑問です。当の棚村教授自身がホームページ（以下、ＨＰ）上で「賛成・反対に厳密に色分けできるかの問題がないわけではない」と認めています。「『他人は自由』という人たちを反対に回す必要はない」と考えたというのです。

令和3年（2021）3月の参議院予算委員会で、**菅義偉首相はこの調査について「いろんな聞き方とかそういうことで（結果が）変わってくることも事実じゃないでしょうか」と突き放しています。**

別姓賛成派の学者からも、調査結果を法改正への賛否だとするのは「深読み」ないし「偏った解釈」だとして調査方法への批判が出ました。「内心反対だが声を挙げていない人が多数いるはず」という元法務官僚の戒めもありました。

この調査の調査票には、選択肢の前段に「選択的夫婦別姓制度とは」というタイトルで法務省サイドの国会答弁が示され、「社会的な不便・不利益を指摘され（選択的夫婦別姓の）導入を求める意見がある」などとする一方的な説明だけが書いてあります。また、「Q3」の内閣府の世論調査と異なって、現実に多くの人が利用している「旧姓の通称使用」に関する設問を入れていないのは意図的なものを感じます。

全国陳情アクションのHPにコメントを寄せた東北大学の沼崎一郎教授は、「法改正支持が七割と解釈することには問題がある」と指摘し、「『自分は同姓支持だが他の夫婦が別姓でも構わない』という意味が、**他人の通称使用くらいならいいとか、他人が事実婚でも差別しないという程度の意味であって、法改正を支持するものではない可能性もある**」と指摘しています。

そして、「この設問への回答を法改正への賛否と解釈するのは『深読み』ないし『偏った解釈』という批判を免（まぬが）れない」と厳しく批判しています。

また、かつて法務省民事局参事官として民法改正作業にあたった小池信行氏は、同じHPで「調査報告書では、選択的夫婦別氏制の導入に賛成する方が多いようですが、これに内心反対ではあるがまだ声を挙げていないという方も多数おられるはずです」と戒めています。

Q3

選択的夫婦別姓を求める地方議会の意見書に、内閣府の世論調査結果が〝改ざん〟されたケースが多数あるそうですが、具体的に教えてください。

多くの地方議会の意見書で、夫婦同姓維持を前提とした「通称使用のための法改正」を支持した人が、「選択的夫婦別姓の賛成・容認」にされているのです。この操作によって、賛成・容認が四十二・五％から六十六・九％に膨れ上がっています。

内閣府が平成29年（２０１７）12月に実施し、翌年2月に公表した世論調査では、次のような結果が出ています（数字は回答者の割合）。

（ア）婚姻をする以上、夫婦は必ず同じ名字（姓）を名乗るべきであり、現在の法律を改める必要はない（二十九・三％）**夫婦同姓維持**

（イ）夫婦が婚姻前の名字（姓）を名乗ることを希望している場合には、夫婦がそれぞれ婚姻前の名字（姓）を名乗ることができるように法律を改めてもかまわない**（四十二・五％）選択的夫婦別姓容認**

（ウ）夫婦が婚姻前の名字（姓）を名乗ることを希望していても、夫婦は必ず同じ名字を名乗るべきだが、婚姻によって名字（姓）を改めた人が婚姻前の名字（姓）を通称としてどこでも使えるように法律を改めることについてはかまわない**（二十四・四％）夫婦同姓維持**（通称使用拡大の法制化）

この三つの選択肢の中での「夫婦同姓維持」は（ア）（ウ）を足した五十三・七％で過半数を超えています。

ところが、地方議会が採択した意見書の中に、(イ)(ウ)を足した六十六・九％を「選択的夫婦別姓に賛成・容認」とした信じられない記述が多数あるのです。

別姓推進派の理論的支柱である元法務省幹部自身が、右項の世論調査結果の(ウ)の主旨は「選択的夫婦別姓に反対」だと明言、意見書の根拠となるデータを否定していま す。その〝改ざん〟意見書を推進派は「運動の成果だ」と自負しているのです。

例えば令和3年10月に東京・江戸川区議会が可決した意見書(資料④参照)の冒頭にはこうあります。「選択的夫婦別氏(姓)制度の導入に賛成または容認すると答えた国民は六十六・九％であり、反対の二十九・三％を大きく上回ったことが明らかになりました」

しかし、議会の意見書は地方自治法第九十九条にもとづく公文書ですから、根拠となる数字を改ざんして記載することは許されません。選択的夫婦別姓派である元高裁判事で法務省民事局参事官だった小池信行氏は、令和4年1月の日本記者クラブでの会見で、「(夫婦同姓維持前提の)通称使用法制化」を支持した人たちを「選択的夫婦別姓の賛成・容認」に組み入れるのは間違いであることを明確にしています。

また、令和2年12月に東京高裁も家事審判の「決定」で、世論調査の具体的数字を挙げ、「夫婦別氏制の採用が国民の総意であるといえる状態あるいは国民の大多数が支持を表明している状態に達しているとまではいえない」としています。

意見書の中には、同じ世論調査の結果を元に「賛成が反対を上回っている」と記している(資料⑤参照)ものもあります。しかし、これも「通称使用の法制化」を選んだ二十四・四％の人たちの声を意図的に無視しており、別姓賛成を多数派に見せるための「工作」と言われても仕方ありません。

Q4

選択的夫婦別姓派は「選択制」だから反対する理由はないし、誰にも迷惑はかからないと言いますが、本当にそうなのですか？

法律によって同姓と別姓の二種類の家族が生まれるため、「姓は家族の名称」という日本人共通の概念が通用しなくなります。同姓家族の姓も「個々人を表すもの」に変質し、「たまたま同じ姓」という捉え方になるのです。

内閣府世論調査（平成29年）の結果を元に算出すると、制度が導入された場合、これを希望するという人は八・四％になります。それだけの数字であっても、姓の「性格」は大きく変わってしまいます。最高裁は夫婦同姓制度を合憲とした平成27年の大法廷判決で、世界人権宣言の第十六条三項を引用して「家族は社会の自然かつ基礎的な集団単位と捉えられ、その呼称を一つに定めることには合理性がある」として、「家族の呼称」の存在意義を評価しました。ところが、別姓が法律で認められると戸籍上、「一つの姓の家族」と「二つの姓を持つ家族」が存在することになるので、「〇〇さん宅」というような「家族の呼称（ファミリーネーム）」という概念は消滅してしまいます。

ちなみに、かつて法務省で民法改正作業に関わった小池信行氏は、「制度としての家族の氏（姓）は廃止せざるを得ない」として、こう指摘しています。

「氏（姓）というのは純然たる個人をあらわすもの、というふうに変質する（中略）**夫婦別姓論者が反対論者に向かって、別姓を選ぶのは自分たちの勝手なのだ、おまえさん方が反対する理由がないではないか、**

ということがあるのですが、この言い方は正しくないことになります」（「法の苑」二〇〇九年春）

> **選択的夫婦別姓が導入されると、既婚者も「同姓のままか別姓にするか」の選択を一定期限内に迫られることになりますから、決して他人事ではありません。「選択制」が対立や余計な争いを生むという識者の指摘もあります。**

平成30年（2018）に立憲民主党の議員などが提出した選択的夫婦別姓案には、既婚者が別姓を選択できるための二年間の経過措置が盛り込まれています。自治体などが「別姓にしたい人は○年○月までに手続きを」と周知徹底するでしょうから、老夫婦も子育て中の夫婦も、さらには結婚したばかりの夫婦も、姓の新たな「選択」という現実に直面することになります。「姓の選び直し」とでも言うべきものが始まるのです。ムードに流されて「元の姓に戻してみようかな」と言う妻と、「いまさら何で」と言う夫がいがみ合うことにならないとも限りません。つい先日まで同姓だった夫婦が、いつの間にか別姓になってしまうのですから、郵便物や宅配業務が改姓の確認に追われるなど、日本中が大混乱する恐れがあります。

「選択的」であること自体の問題点を指摘する人もいます。テレビのコメンテーターとしても活躍しているプロデューサーで、慶応大学特任准教授の若新雄純さんは、最高裁が令和3年（2021）6月に再び合憲の判断を示した翌日、「TOKYO　FM」の番組でこう述べています。

「**個人がどうしたいかという話だけだったら選択の余地があっていいと思うが、結婚や家族を作ることって違う価値観が一緒になること。違う価値観が混じる社会の中にさらに選択肢があるということが、いかに今まで対立や余計な争いを生んできたか**」「選択的を訴えている人は（中略）嫌な人は選択しなくていいじゃん、と言うと思うんだけど、社会全体で見ると選択の余地って時にはそれが悲劇というか対立を生むこともあるってとこまで考えなくてはいけないんだろうな」

Q5

選択的夫婦別姓導入をめざす動きには、「戸籍の廃止」や「個籍化」などの疑念が消えない印象があります。具体的に誰がどう発言しているのでしょうか？

夫婦別姓の草分け的存在だった左派の国会議員がかつて提案したのが、戸籍の「個籍化」です。別姓派の理論的支柱となっている大学教授は「家族単位の戸籍は主従関係を持ち込むから個人単位の登録制度に」と主張しています。

日本の戸籍は国民が生まれてから亡くなるまでの法律上の身分（出生・婚姻・離婚・死亡・親族関係など）を登録して、公的に証明するという我が国独自の制度です。夫婦のいずれかが筆頭者になって、夫婦と子どもの二世代までが同じ戸籍に登録されます。いわゆる「公証力」が強いので各種の行政手続きの基礎になっていて、両親、祖父母などの戸籍を辿ることによって、親族関係のつながりを無限に証明することが可能です。近親結婚を防ぐ役割も果たしています。

しかし、**「選択的夫婦別姓・全国陳情アクション」などの運動団体を支援している立命館大学の二宮周平教授**（家族法）**は、「戸籍制度を個人単位の家族関係登録制度に転換すべきである」と明言**しています（「時の法令」平成28年6月30日）。夫婦と子で構成される戸籍を一人ずつバラバラの「個籍」にするというものです。「現在の家族単位編製は戸籍の筆頭者とそうでない者の間に主従の関係を持ち込む」ことなどをその理由にしています。

夫婦別姓運動の草分けとも言える千葉景子氏は、旧日本社会党参議院議員時代の冊子『夫婦別姓――家族をここからかえる』でこう語っています。「当初は戸籍のほうはあまりいじらずに、いじるとややこしくなるので、まず別姓が選択できることだけに集中しようというので始まってきたんです。ただ、流れとしては、それよりも個人籍をこの際考えてしまったほうがいいというところに来ているかもしれない」。

これが、今も夫婦別姓派の〝本音〟ではないかと思えてきます。

全国陳情アクションはHPに「戸籍の維持は別途議論の余地あり」との見解を載せています。選択的別姓を推進している首都圏の元県議会議長は「戸籍は不必要で維持する理由がわからない」と明言しています。

現在の別姓導入運動の中核となっている「選択的夫婦別姓・全国陳情アクション」の代表は、取材などで「戸籍制度廃止を伴う提案をしているわけではない」と言っています。しかし、夫婦と子どもが一つの戸籍となる「現在の戸籍制度」を維持するとまでは言っていません。また彼らのHPの「選択的夫婦別姓Q＆A」には「戸籍を維持しているのも日本だけですので、戸籍を維持していくかどうかは別途議論の余地はあると思います」という気になる見解も載せています。

一方、選択的夫婦別姓導入を主張している首都圏のある保守系の元県議会議長は自身のブログで、「私見ですが、私はすでにマイナンバー制度が構築されている我が国において、戸籍は不必要なものと考えています。そもそも、戸籍制度を維持しなくてはならない理由が分かりません」と明言しています。あえて「私見ですが」と断わるのには理由があるのでしょうが、ここまで明確に戸籍の制度を否定していることには驚きます。戸籍をなくして、国家が個人を直接管理するべきだということなのでしょうか。意見は自由ですが、選挙で選ばれた県議会議員という立場なのですから、戸籍を廃していったいどうしようというのか、具体的な説明が欲しいところです。

Q６

選択的夫婦別姓派による「異論は許さない」というような強圧的な言動に違和感を感じる人たちから、批判が出ていますね。

「反対する人は人を不幸にしている」「突き詰めれば女性蔑視に行き着く」。ツイッターや夕刊紙のコラムとは言え、こんな言葉で威圧する人たちが支持しているのがこの制度なのです。

事務次官まで上り詰めた元文部官僚が令和３年（２０２１）３月、ツイッターで次のように発信しています。「同性婚も選択的夫婦別姓もそれで幸せになる人がいて、不幸になる人はいないのだから、誰にも反対する理由はない。**反対する人は、自分の好き嫌いを人に押しつけて、人を不幸にしているのだ。**人を不幸にする政治家は、次の選挙で落とそう」。

また、これと同時期に、あるお笑いタレントが夕刊紙のコラムに「（選択的夫婦別姓は）どちらにするか決められる自由があるという、ただ希望者だけが幸せになる、他には何も影響しない制度である」と書いています。社会制度であるのに「他には何も影響しない」という自分勝手な言い方に続けてこう記しています。

「（別姓反対は）名字が一つであることが家族の絆であるという古来の家父長制を重んじており、それこそ突き詰めれば女性蔑視に行き着くことになる」。

「不幸」「女性蔑視」などの、人が忌み嫌う言葉を使うのは、言論の体裁をとりながら相手を黙らせる常套手段です。別姓問題を考える時、こうした人たちが日ごろ、どのような社会的あるいは政治的スタンスに立っているかも考慮に入れる必要がありそうです。

「いつも気になるのが推進を支持している人の中から〝古い価値観〟みたいな言葉が出てくること」。選択的夫婦別姓が導入されることに違和感を持つ人々の「声なき声」を代弁していると言えます。

ジャーナリストの佐々木俊尚さんは令和２年（２０２０）11月、ネットのテレビ「ABEMA Prime」で、「仮に選択的夫婦別姓が導入された瞬間に、夫婦同姓を選んだ人が、『ふるい人だ。お前同姓なの？　バカじゃないの』と批判される可能性がある」と懸念を示し、「そこにリベラルの上から目線がある」と指摘しています。

同じ番組で、ケンコバの愛称で知られるタレントのケンドーコバヤシさんもこう言っています。

「いつもこういう話題になった時に気になるのが、推進を支持している方の中から、〝古い価値観〟みたいな言葉が出てくること。僕は旧態依然という言葉は好きではない。**歌謡曲じゃないが、〝あの人の名字になりたい〟とか、〝僕の名字になって欲しい〟とか、そういう思い、価値観もあっていいと思う**」

前出の若新雄純さんは、同じ「ＴＯＫＹＯ ＦＭ」の番組で、選択的夫婦別姓が始まったら別姓が多くなるだろうとした上で、こう言っています。

「わざわざ同姓にした少数派の人が変な目で見られる可能性もあると思う。ワクチン接種の話と一緒で、みんなやってるのにあの人だけやらない、変えないとか、何か理由あんのかとか、えっ意外だね、古い価値観なの？　みたいな」

Q７

選択的夫婦別姓の導入をめざす人たちは、日本の制度は時代遅れだと声高(こわだか)に言います。外国ではどの国でも制限無く自由に姓を選択できるのですか？

各国の制度は複雑で一様ではありません。ましてや世界標準などありません。日本の別姓推進派がめざすのはスウェーデンのような「例外なき選択制」ですが、同国の家族制度は既に崩壊していると言われます。

「夫婦同姓を強制する国は今や日本だけ」と言う人がいます。それだけを聞くと、世界の国々がすべて同姓か別姓かを自由に選べるかのようですが、そうではありません。別姓を選べる国が多いのは確かですが、逆に同姓が許されず「夫婦別姓」が強制される国もあります。また、結婚後に元々の姓を名乗れるのは夫だけで、妻は夫の姓に合わせるか、結合姓（自分の姓と夫の姓を結合させる）を使うしかない国もあります。別姓を認めていても同姓になるよう努力を促している国もあります。

子の姓については、夫婦別姓を選べる国であっても、必ず夫（父親）の姓を継ぐこととする国もありますし、夫婦で合意ができない場合は夫の姓にしなければならない国もあります。

日本の別姓案は、例外のない自由な選択制ということではスウェーデンにそっくりだと言われます。人口一千万人に満たない同国は「福祉国家」と言われますが、事実婚や同棲が多く、離婚率も五割を超え、子どもの置かれた環境含め家族形態が複雑です。１９８３年に同姓・父系優先を選択的夫婦別姓に大転換したのは、事実婚による別姓が非常に多いという現実を、法的に追認したという側面が強いと言われます。**別姓推進派がスウェーデンについて言及しないのは、とてもモデルにできるような国ではないからなのでしょう。**

別姓が認められるドイツですが、法律上は「夫婦同姓」が原則です。家族としての絆を保つために夫婦の「結合姓」を許容する国も目立ちます。ヨーロッパなどでは、子どもは必ず父親の姓を継ぐことになっている国もあります。

大半がヒンズー教徒の**インド**や、慣習法の国の**ジャマイカ**などは夫婦同姓です。夫と妻のどちらの姓にでも合わせられる日本と違って、妻が夫の姓に合わせる同姓で、子どもは夫（父親）の姓を継ぎます。

キリスト教国の**イタリア**では、夫は自分の元々の姓を使い、妻は夫婦の結合姓を使うのが原則です。**アルゼンチン**も同様で、旧姓の通称使用も認められています。**フィリピン**は夫の姓に合わせた夫婦同姓で、妻は結合姓も選べます。

ドイツは1993年に夫婦別姓を許容しましたが、法律の条文には「夫と妻は共通する家族姓（婚姻姓）を名乗るべきである」旨が記されており、あくまでも同姓を原則としています。別姓にする人は役所に申告する必要があります。また、自分と相手の姓をつなげる複合姓（結合姓）を名乗ることも認められています。但し、これは夫婦の片方だけにしか認められておらず、妻が複合姓にする場合がほとんどです。別姓にしたとしても、同じ姓を「共有」しておきたいという気持ちの表れなのでしょう。

韓国は完全な夫婦別姓ですが、これは父系主義の儒教の影響で妻は夫の姓を名乗ることができないからなのです。

イギリスや**アメリカ**では現実には妻が夫の姓を名乗る同姓夫婦が圧倒的に多いとされています。子どもの姓については、**ベルギー**や**ポーランド**など父親の姓を名乗ることになっている国も少なくありません。

このように、夫婦と親子の姓は、それぞれの国の伝統や家族観によって異なるものなのです。

Q8

選択的夫婦別姓は、大人の都合による「親子別姓」であり「家族別姓」です。親子や兄弟姉妹で姓が異なると、どういう影響が心配されますか？

親子の姓が異なるということは、子どもは二つの姓を意識して生きるという一種の緊張感を強いられます。兄弟姉妹が別姓になる場合もそうです。自己主張をしにくい子どもにとっては大きな負担になる恐れがあります。

選択的夫婦別姓を求める人は、事実婚や離婚・再婚などで親子や兄弟姉妹の姓（名字）が異なる家庭環境に置かれた子どものことについて、「両親の姓が異なるからといって何か問題が起きたとは聞いたことがない」などと言います。まるで日本中のすべてのケースを調べ尽くしたような物言いです。**夫婦別姓の子はどちらかの親と親子別姓になるのですが、それは家庭生活上、父と母の二つの姓を意識しながら生きていくことを意味します。子どもは言葉に出さなくても、一種の緊張状態に置かれる**と言ってもよいでしょう。

選択的夫婦別姓を推進する「全国陳情アクション」のHPにはこんな見解が載っています。「もし子供が疑問を持ったら、どう説明するかもそれぞれの家庭次第。（中略）姓に限らず、あらゆる面で多様性を認め、子供が『周囲と違う』ことで悩むことのない社会を作っていくのが大人の責務だと思います」。

しかし、これは大人の側の勝手な理屈です。小さな子どもは自分で権利を主張することはできません。大人の目でカバーできない所で精神的、肉体的にも苦痛を感じているケースがあるかもしれない――。そこまで考えるべきなのです。これは夫婦別姓の中国での話ですが、一人っ子政策の反動で産児制限が緩和され、いきなり兄弟姉妹で姓が異なるケースが増えた結果、学校でいじめに遭ったり、父母の一族が険悪な関係になるなどの問題が増えていると言われます。

女性の六十五％が「（夫婦別姓は）子どもにとって好ましくない影響がある」と考えています。兄弟姉妹の名字が異なることへの拒否感はさらに強く出ています。「静かな多数派」の声が存在することを忘れてはいけません。

内閣府が平成29年（２０１７）12月に十八歳以上の男女五千人を対象に行った「家族の法制に関する世論調査」によると、「夫婦の名字（姓）が違うと子どもに何か影響が出てくると思うか」との質問に対し、六十二・六％の人が「子どもにとって好ましくない影響があると思う」と答えています。女性の回答者だけに限ってみると、これより多い六十四・九％が「好ましくない影響がある」と回答しています。また、選択的夫婦別姓が導入されて二人以上の子どもがいた場合を想定した設問に対しては、「子どもどうしの名字（姓）が異なっても構わない」と答えた人は十四・九％だけで、女性の回答者だけに限ると、さらに十一・七％に減っています。

こうした「好ましくない影響がある」と答えた人たちは、大きな声を出して自分の意見を主張するわけではありませんが、より良い家庭環境とは何かを肌で感じ取っているのだと思います。「静かな多数派」と言えると思います。

Q9

選択的夫婦別姓の民法改正案には、子どもの姓をいつどうやって決めるのかなど困難な問題があって、同じ別姓派でも考え方が対立しているようですね。

法務省案は、婚姻届け時に将来生まれてくる子どもの姓を届けさせるものです。「妊娠して子どもができる」ことを前提にしており、流産したり不妊治療を受ける人には大きなプレッシャーです。

平成8年（1996）に法務省の法制審議会が法務大臣に答申した「民法の一部を改正する法律要綱案」では、婚姻届けをする際に子の姓を決めることになっています。つまり、将来生まれるであろう子どもの姓を予め決めて、婚姻届と一緒に提出するのです。生まれてもいない赤ちゃんの将来を決めてしまうのですから、結婚を予定する男女には重い責任がのしかかってきます。双方の実家から違う意見が出ることも考えられます。話し合っても二人の考えが一致しなければ、やがて愛情も失せ、破談になることだってあり得ます。

もっと根本的な問題もあります。**出生を前提に届けるのですから、流産したり病気などで出産ができなくなった女性、あるいは不妊治療を続ける夫婦にとっては、赤ちゃんの姓を届けたという事実が精神的プレッシャーとして残ります。**

婚姻届け時に子の姓を決めるのですから、当然ながら「複数の子は同一姓にする」ことになります。「子どもどうしで姓が異なるのは教育上、好ましくない」という法制審議会の判断があったようです。兄弟姉妹の別姓を心配しておきながら、もっと深刻な影響が考えられる「親子の別姓」について心配しないというのは矛盾しています。

立憲民主党議員などによる案は、出生時に夫婦で協議し、決められなかったら家庭裁判所に頼むというものです。しかし、裁判官は何を判断材料にするのでしょうか。そもそも裁判で争う夫婦が良好な関係を続けられるとも思えません。

平成30年（2018）に当時の立憲民主・共産・社民の各国会議員が衆議院に提出した「民法の一部を改正する法律案」では、「出生の際に父母の協議で定める」としています。戸籍法で出生届けは十四日以内となっています。産後間もないこの間に夫婦が子の姓を取り合ったり、双方の実家とのしがらみで、話がまとまらない恐れがあります。

また、この案では、家庭裁判所は「協議に代わる審判をすることができる」としています。つまり、赤ちゃんが生まれて幸せなはずの夫婦が、赤ちゃんの姓をめぐって家裁で争うのです。問題は、審判する裁判官が何を基準に赤ちゃんの姓を決めるかということです。離婚調停で親権を決定する場合は、過去の親子の生活歴や子を養う経済力などを調べ、子の年齢によっては直接意思を尋ねます。しかし、赤ちゃんに「どちらの姓にしたいの」とは聞けません。親が決められないのに、**裁判官が夫婦の双方にとって納得できる理由など示せるはずがありません。**民事法の専門家も「家庭裁判所が頭を抱えることになる」と明言しています。まさか「くじ引き」で決めるわけにもいきません。

Q 10

そもそも「旧姓の通称使用」とはどういうものでしょうか。その意味や意義をねじ曲げて、意図的にわかりにくくしている人たちがいると聞きましたが。

既婚者が仕事などの利便のため旧姓を「通称名」として使うことを言います。あくまでも便宜上の使用で、配偶者と同じ戸籍上の姓を共有していますから「夫婦同姓」です。旧姓の通称使用は、「別姓使用」ではありません。

旧姓の通称使用とは、例えば妻が結婚して夫の姓に改姓した場合、**改姓した戸籍上の姓はそのままですが、会社などでは仕事での不便を軽減するために結婚前の旧姓を「通称」として使うことを言います。あくまでも便宜上の使用で、法的には夫婦は同姓です。**

令和3年（2021）3月3日の参議院予算委員会で、選択的夫婦別姓に慎重な丸川珠代内閣府特命担当大臣に対し、ある議員が「丸川というのは旧姓ですよね。家族で姓が違うじゃないですか」と詰問しました。「（丸川大臣は）既に夫婦別姓にしている」と印象付けたかったのでしょうか。これには、元衆議院議長の伊吹文明氏が派閥の会合で「支離滅裂な批判だ。通称『丸川』を使ってうまくいっているなら別姓にする必要がない」と指摘しています。

また、立憲民主党の蓮舫参議院議員も同年2月25日付のツイッターで、旧姓を通称使用し、別姓化には慎重な女性国会議員の名前を挙げ、「みな、旧姓で議員活動をされておられます。夫婦別姓を実践されておられるのに、なぜ『選択的』夫婦別姓に反対されるのでしょう」とつぶやいています。言葉は丁寧ですが、これではツイッターを読んだ人が「旧姓を使うのは夫婦別姓なのか」と思ってしまいます。旧姓の通称使用の意味や意義をわかりにくくして、選択的夫婦別姓支持に誘導しようという意図が見え隠れします。

最高裁は平成27年（2015）に夫婦同姓について合憲判決を出した際、「通称使用で改姓の不利益が緩和され得る」と期待感を示しました。これが契機となって「住民票」や「運転免許証」の旧姓併記へとつながりました。

平成27年（2015）に最高裁判所は、改姓による不利益について「氏の通称使用が広まることにより一定程度は緩和され得る」と指摘しました。以降、公的証明書などでの通称使用の範囲拡大が大きく進みました。この指摘をマスコミ含む選択的夫婦別姓推進派は軽視しましたが、最高裁が通称使用に期待感を示したからこそ前進したのです。

最高裁の判決を受けて通称使用は大きく動き出しますが、その大きな一歩は、令和元年（2019）11月から始まった**住民票への旧姓の併記**でした。当時の総務大臣などの尽力もあって住民基本台帳法施行令等の一部を改正する政令が公布され、全国の市区町村が発行する住民票に旧氏（旧姓）を併記することができるようになりました。住民票への旧姓併記が可能になったことで、**住民票の写しやマイナンバー（個人番号）カード**なども併記ができるようになり、旧姓による**印鑑登録**も可能となっています。また同年12月からは、身分証明書代わりに使うことが多い**運転免許証**も申請による旧姓併記が始まりました。

旧姓の併記されたマイナンバーカード（イメージ）

Q 11

旧姓の通称使用は「住民票」への旧姓併記でいっきに広がりましたが、その範囲はどこまで拡大されて来ていますか？

パスポートは令和3年（2021）春から戸籍謄本を提示して誰でも旧姓併記することが可能になりました。入国審査用に英文でFormer surname（旧姓）という説明文も付きました。資格証明書も旧姓併記が進んでいます。

公的証明書への旧姓併記が進んだことで、就職や転職時の本人確認、職場などでの身分の証明がよりスムーズになってきています。**パスポート（旅券）**については、これまでも、職場で普段から旧姓を通称名として使っていることなどを証明する文書の提示があれば可能でした。

しかし、令和3年（2021）4月からは、結婚等で改姓したことがわかる戸籍謄本などを提示することによって、誰でも旧姓併記することができるようになりました。併記した場合は、渡航先での入国審査がスムーズに進むように、**「旧姓／Former surname」という説明書きが付記**されています。

また、公的な資格証明書としては、現在は**ほぼすべての国家資格で旧姓使用が可能**です。これには、弁護士や税理士などの「士業」、医師・看護師などの「師業」と言われる資格を持つ専門職も含まれています。

民間資格も含め一部で旧姓併記などができないケースもあるようですが、「Q12」で触れるように法律で制度化すれば済む話です。

法人登記の旧姓併記や旧姓での口座開設は画期的です。証明書のデジタル化で、旧姓と現姓が同一人物であることが瞬時にわかれば、金融取引などでの不便解消も進むと思われます。

結婚後も旧姓による銀行口座開設が可能となっています。これまでも個人事業主など特別なケースに限って、旧姓による口座開設ができましたが、政府が女性活躍を後押しするために柔軟な対応を銀行業界に要請したことで、地銀を含む大手銀行の多くは、旧姓併記の住民票やマイナンバーカードなどを提示すれば口座開設を受け入れています。なお、結婚前の旧姓口座を継続して使っている人は、紛失した場合には、旧姓併記の身分証明書で再発行ができます。

株式会社などの法人登記簿の役員名に旧姓を併記することも認められています。独身の時に会社を立ち上げ、結婚して夫の姓に変えた女性経営者にとっては、会社の信用維持という意味でも大きな前進です。

国家公務員のほか、地方公務員についても、平成29年（２０１７）に総務省が、市区町村などでの旧姓使用の規定を設けるよう各都道府県に通達を出したため、ほぼ全国的に通称使用が認められています。一般財団法人労務行政研究所が平成30年（２０１８）に実施した人事労務についての調査では、上場企業及びこれに匹敵する規模に限れば、六十七・五％の企業が職場での旧姓使用を認めているとの結果が出ています。今後、中小の民間会社でも通称使用が認められていくことが期待されます。

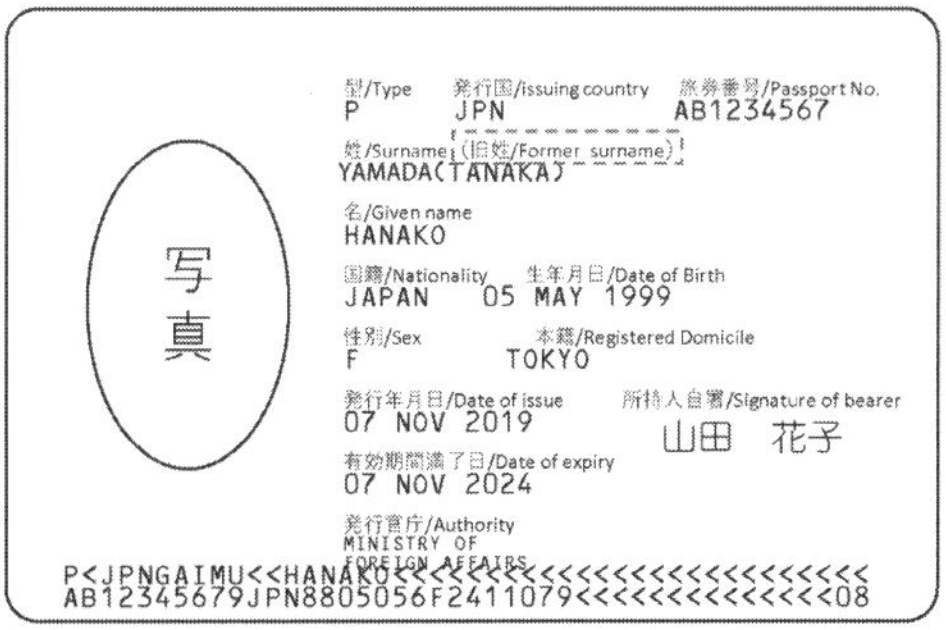

写真
型/Type P　発行国/Issuing country JPN　旅券番号/Passport No. AB1234567
姓/Surname (旧姓/Former surname) YAMADA(TANAKA)
名/Given name HANAKO
国籍/Nationality JAPAN　生年月日/Date of Birth 05 MAY 1999
性別/Sex F　本籍/Registered Domicile TOKYO
発行年月日/Date of issue 07 NOV 2019　所持人自署/Signature of bearer 山田 花子
有効期間満了日/Date of expiry 07 NOV 2024
発行官庁/Authority MINISTRY OF FOREIGN AFFAIRS
P<JPNGAIMU<<HANAKO<<<<<<<<<<<<<<<<<<<<<<<<<<<<
AB12345679JPN8805056F2411079<<<<<<<<<<<<<<08

パスポートにFormer surname（旧姓）を追記できるようになった

Q 12

旧姓の通称使用に法的根拠を与える法律案が検討されているそうですが、その意義と内容を具体的に教えてください。

この法律案は夫婦同姓を維持した上で、希望者は「旧姓使用する」旨を届けて戸籍に記載するものです。既婚者も施行一年以内に申請できます。各種申請でまだ戸籍姓しか受け付けないケースなどの解消が義務化されます。

「婚姻前の氏の通称使用に関する法律案」（資料⑧参照）は令和２年（２０２０）12月、自民党の法務部会に議員立法案として提出されました。戸籍上の夫婦同姓及び親子同姓を維持しながら、**結婚で改姓する人が旧姓を通称使用できることを法的に明確化すると同時に、戸籍法の一部を改正して「結婚前の氏（姓）を通称として使う」旨を婚姻時に届けて戸籍に記載するもの**です。

人が改姓によって不便だと感じる内容や強弱には差があります。だからこそ、少しでもこれを減らすための現実的方法として、旧姓の通称使用という考え方が生まれました。今度は、この通称使用に法的根拠を与え、国や地方自治体、民間企業に対して、「(届け出をした人が通称使用できるよう）法制上の措置を講じる責務」を課そうというわけです。経過措置として、既婚者についても配偶者との合意を得て、施行一年以内に旧姓の通称使用を届けることも可能としています。

平成29年（２０１７）の内閣府世論調査では「仕事の上で通称を使うことができれば、不便を生じないで済むと思う」と答えた人は五十七・七％にのぼります。

通称使用に法的根拠が与えられれば、とりわけ働く女性の日常生活での不便が解消され、社会進出を後押しすることが期待されます。

通称使用の法制化は「国会で議論し判断すべき」という最高裁の見解にも適（かな）います。仮に選択的夫婦別姓が導入された場合でも、夫婦同姓を選んだ人には通称使用の法制化は必要ですから、その議論を避ける理由はありません。

旧姓の通称使用に法的根拠を与えることは、最高裁が示している「この種の制度のあり方は国会で議論し判断すべきだ」との見解にも適（かな）うものです。前にも触れましたが、この見解は決して選択的夫婦別姓制度の導入を促したものではないからです。

夫婦別姓推進派は、旧姓の通称使用の法制化が議論になって世論の支持が集まることを恐れ、通称使用が遅れた分野を探しては「限界がある」と批判します。

しかし、そうであるからこそ法制化が意味を持つのです。また、仮に選択的夫婦別姓制度が導入された場合でも、夫婦同姓を選んだ人の中に、改姓による不便を感じる人はいるはずですから、通称使用を法律でバックアップする必要性は残るのです。

ですから、本当に「選択的」であるためには、一方で通称使用の法制化は避けて通れないという矛盾を抱えてしまっているのです。

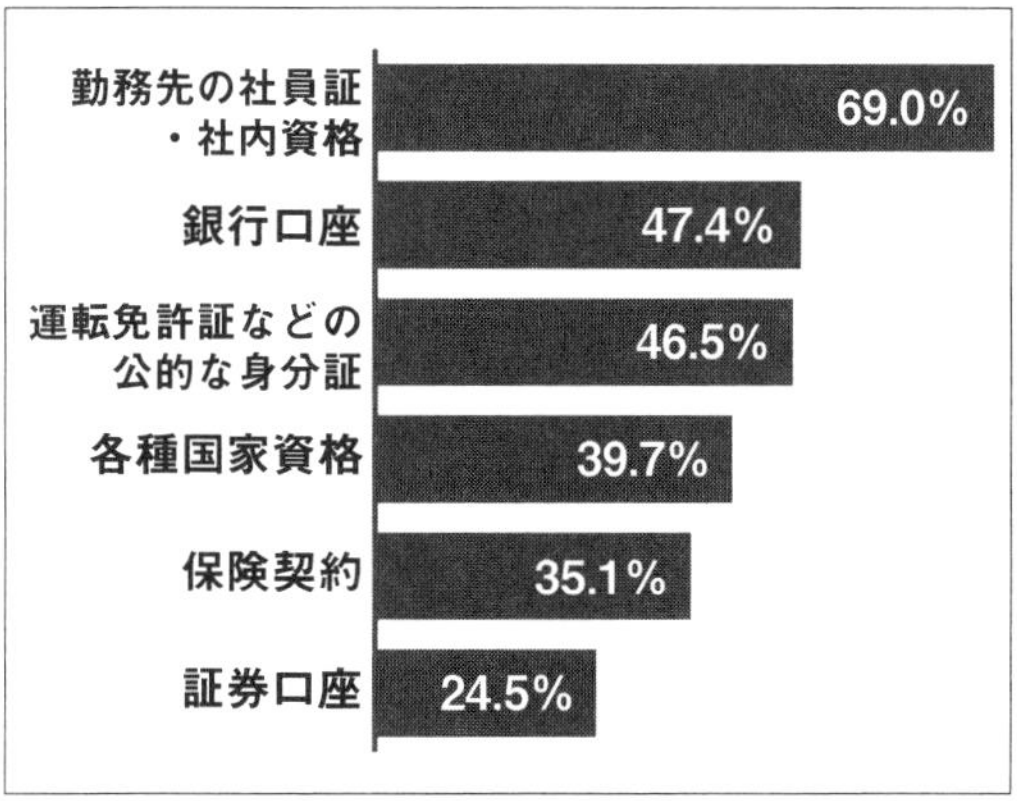

項目	割合
勤務先の社員証・社内資格	69.0%
銀行口座	47.4%
運転免許証などの公的な身分証	46.5%
各種国家資格	39.7%
保険契約	35.1%
証券口座	24.5%

内閣府 男女共同参画社会に関する世論調査
「旧姓使用ができるとよいもの」（令和元年９月）

結婚による改姓後、「旧姓を通称として使用したいと思う」と回答した人を対象に調査。これらの中には、既に社会的に広く認められているものもあるが、通称使用が法制化されれば、さらなる使用拡大による不便の解消が期待できる。

Q 13

「実家の姓を継ぐため」という考え方などは、選択的夫婦別姓の導入運動に都合よく利用されているような気がするのですが。

生まれた実家の家族名（家名）を継ぐために夫婦別姓を選ぶことは、家族名という概念をなくしてしまう選択的夫婦別姓制度と矛盾します。「家意識からの脱却」を説く別姓派の考え方とも相容れないはずです。

娘一人だから跡継ぎがいないので、結婚しても夫婦別姓にして実家の姓を残したいという人がいます。実家を想う気持ちはとても大切ですが、自分が夫婦別姓にしたからといって、子や孫もその姓を継いでくれる保証は何もありません。

そもそも、「Q４」で触れたように、夫婦別姓になると姓を「共通の家族名」とする概念自体がなくなるわけですから、実家の家族名である「家名」にこだわることは、夫婦別姓を選ぼうとすることと矛盾することになります。社民党の福島瑞穂参議院議員らが編集した『楽しくやろう夫婦別姓』にはこう書いてあります。

「家名存続なんていうのは、もともと幻想の産物である。娘夫婦が別姓になったとしても、孫が生まれないかもしれない。そしたら、そこで終わり。むしろ、お墓が氏や家から解放され、もっと自由な形になれば、家名存続派も減っていくだろう」

同じ選択的夫婦別姓とは言っても、両者はまったく異質なのです。選択的夫婦別姓運動を理論的に支えている人たちの多くは、いわゆる「家意識」からの脱却や解放を唱えています。そのことを考えると、**実家の**

姓や墓を守りたいという純粋な気持ちを持った女性たちが、選択的夫婦別姓の導入運動に利用されているとしたら、とても残念なことです。姓を継ぐだけなら結婚相手の男性に自分の姓を名乗ってもらうよう話し合うべきではないでしょうか。

改姓でアイデンティティが喪失すると言う人がいますが、それは同じ姓を共有する家族で育まれてきたからこそ感じる意識です。結婚して改姓するのは女性がほとんどだという結果だけで「強制」「差別」というのは見当違いです。

アイデンティティとは、「これが自分だ」という自己認識とも言えます。結婚して改姓するのはその喪失感につながるから夫婦別姓を選びたいという主張があります。しかし、**アイデンティティ自体、父母や兄弟姉妹と同じ姓を共有して生活してきたから感じるのであり、別姓家族になったら子どもは、どうやってそのアイデンティティを得られるのでしょうか。**

内閣府の世論調査（平成29年）では結婚による改姓についての質問（複数回答可）で圧倒的に多いのは「新たな人生が始まる喜びを感じる」（四十一・九％）、「相手と一体となったような喜びを感じる」（三十一％）で、「今までの自分が失われてしまったような感じを持つ」と答えたのは八・六％でした。

厚生労働省の「人口動態統計」によると、男性が妻の姓にする割合は、令和元年（２０１９）で四・五％です。日本は結婚時に男女のどちらの姓でも名乗れる「選択的夫婦同姓」とも言えますが、妻の姓を名乗ると「婿養子（養子縁組）」だと思われるという間違った社会の風潮も影響しています。

婿養子とは、夫が女性の親と法律上の養子縁組をした上で結婚して相続権などを得るもので、結婚して妻の姓を名乗るのは婿でも婿養子でもありません。それこそ、こんな時代遅れの意識は改めなければなりません。結果だけを捉えて、「事実上の改姓の強制」「女性差別」というのは論理の飛躍です。

Q 14

選択的夫婦別姓が導入されれば少子化が解決されるという主張に、何か根拠はあるのでしょうか？　海外ではどうなのでしょう？

女性活躍担当大臣が選択的夫婦別姓支持の理由に「少子高齢化」を挙げたことがあります。別姓にすれば結婚が増えて子どもがたくさん生まれるというのですが、過去の政府の少子化対策の提言にはそんな意見は出たことがありません。

令和2年（２０２０）11月、当時の橋本聖子女性活躍担当大臣は記者会見で、選択的夫婦別姓導入に賛成の立場から、「我が国の深刻な少子高齢化を食い止めるためには、国民、とりわけ若い世代の意見をしっかり受け止めるのが非常に重要で、配慮する必要がある」と述べました。

その根拠になっているのは、内閣府が第五次男女共同参画基本計画の策定に向けて同年秋に行ったパブリックコメント（意見公募）に寄せられた夫婦別姓導入を求める公募の中に、「実家の姓が絶えることを心配して結婚に踏み切れない」などの意見があったことだそうです。夫婦別姓にすれば結婚する人が増えて子どもがたくさん生まれるという理屈のようですが、それだけが原因で結婚を断念したという人が、実際にどれくらいいるというのでしょうか。

令和2年に「少子化社会対策大綱」が閣議決定されるにあたり、多くの専門家や関係者からのヒアリングが行われましたが、**当時の少子化担当大臣は、「夫婦同姓が少子化の一因などという意見は全くでてこなかった」と言っています。**

同じように少子化に悩む欧米でも、夫婦別姓が少子化を止めたという話など聞いたことがありません。女性が子どもを産み育てる社会環境を整えることこそ少子化対策です。

夫婦別姓を採用している欧米の国々でも少子化は大きな悩みです。一時期、少子化を食い止めたとされるフランスでも、実際に近年増えているのは移民などの外国人カップルの子だけだと言われます。

フランスはかつて少子化対策の成果が出た先進国の数少ない成功例として注目されてきました。しかし、2017年から出生率はいっきに15年前の水準に逆戻りしてしまいました。出生に占める婚外子の割合が6割近くになっていると言われ、若い世代ほど子どもを産まなくなっている傾向があります。背景には、比較的所得が少ない若い世代の経済的負担増や女性の高学歴化が進んだことなどが挙げられています。同国が一時期、少子化傾向を抑制できたのも、こうしたこととの因果関係が指摘されており、夫婦別姓など何の関係もありません。前述のような当時の橋本大臣の「選択的夫婦別姓導入」に絡めた発言は、裏付けのない無責任なものでしかありません。

晩婚化が進む日本では、社会進出が著しい女性のために、子どもを産み育てる社会的、経済的環境を整備することが喫緊の課題です。そうした取り組みの一つとして、不妊治療費の公的保険適用が令和4年（2022）4月から始まります。令和3年（2021）6月に改正された「育児・介護休業法」に基づく男性の育児休暇取得も徹底化が求められます。一人親世帯を含む子育て世代への経済的支援も必須です。

あわせて大切なのは、子ども自身が成長していくための環境を大人が守ってあげることです。それは家庭においても同様です。

いま私たちがやるべきことは「家族に共通の姓」をなくして家族の一体感を失わせることではないはずです。

Q 15

選択的夫婦別姓導入の正当性の根拠にするために、「日本は元々夫婦別姓だった」「夫婦同姓の歴史は明治の途中から」などと言う人がいますが、事実はまったく違うようですね。

公家や武士の「氏」は祖先に繋がる一族の出自を示すものとして父系で継承していました。妻がその氏を名乗ることはありませんでした。氏とは別に「苗字」も使うようになっても同じです。いわゆる〝夫婦別姓〟だったわけではないのです。

日本では公家や武士などは一族の出自を示す藤原、源(みなもと)、平(たいら)などの「氏」を名乗り、これを父系(男系)で継承してきました。平安末期以降は同じ氏を名乗る集団が増え、土地や財産を他と峻別するための小さな単位が必要となり、その証(あかし)として氏とは別に「苗字(名字)」も使うようになりました。これが私たちが使う「姓(苗字)」に繋がっています。

NHKの大河ドラマで話題の「北条政子」は「源頼朝」の妻(正室)なのに「北条」姓を使っているから、一見して〝夫婦別姓〟だったように見えます。

しかし、当時は妻が生家の姓を名乗ることはなく、北条政子という呼称は人物(北条時政の娘)を特定するために後世になって便宜的に使われるようになったものです。父時政の出自が「平」なので、公的文書に「平氏女(たいらのうじのにょ)」と記されたケースはあったようですが、通常は御台所(みだいどころ)などと呼ばれていました。

また、夫とは出自が違うので、「源」と名乗ることもありませんでした。足利義政とその正室の日野富子の場合も同様です。「日本は元々夫婦別姓だった」という人がいるようですが、これは明らかな間違いです。

明治8年（1875）の「平民苗字必称令」で苗字を名乗ることが義務化され、翌年の太政官指令は、「妻は別苗字」にすべきことを命じました。しかし、庶民の生活実態とずれているという政府への切実な要請があり、「夫婦同姓」に転換されたのです。

庶民の姓はどうだったかと言うと、中世には農民も苗字を名乗るケースがあったようですが、江戸時代には男女とも正式に苗字を名乗ることは許されていませんでした。それでも現実には多くの庶民が自分の家を他と区別するために、非公式に家族共有の苗字を使っていたと言われます。

明治政府は明治9年、公家や武家の古来の慣習を踏襲して妻を「別苗字」とする制度にしましたが、庶民には「夫婦が別々の苗字を名乗る」という発想はなく、反発が起きました。このため、地方の行政官庁は政府に対して、庶民の生活実態とのズレを訴えたのです。

当時の東京府は明治22年（1889）、「凡ソ民間普通ノ慣例ニ依レハ、婦ハ夫ノ氏ヲ称シ、其生家ノ氏ヲ称スル者ハ、極メテ僅々――」（民間の慣例では妻は夫の氏（姓・苗）を称しており、生家の氏を称している者は極めて少ない）と上申書に記し、現場で混乱が起きていることを政府に訴えました。これらを受けて明治23年（1890）の日本最初の民法に「戸主及ヒ家族ハ其ノ氏ヲ称ス」と規定され、正式に夫婦同姓が制度化されました。

名字は一緒がいいね

関係資料

資料① 日本国憲法および関連法

日本国憲法

第十三条　すべて国民は、個人として尊重される。生命、自由及び幸福追求に対する国民の権利については、公共の福祉に反しない限り、立法その他の国政の上で、最大の尊重を必要とする。

第十四条　すべて国民は、法の下に平等であつて、人種、信条、性別、社会的身分又は門地により、政治的、経済的又は社会的関係において、差別されない。

第二十四条　婚姻は、両性の合意のみに基いて成立し、夫婦が同等の権利を有することを基本として、相互の協力により、維持されなければならない。

② 配偶者の選択、財産権、相続、住居の選定、離婚並びに婚姻及び家族に関するその他の事項に関しては、法律は、個人の尊厳と両性の本質的平等に立脚して、制定されなければならない。

民法　第七五〇条（夫婦の氏）

夫婦は、婚姻の際に定めるところに従い、夫又は妻の氏を称する。

戸籍法　第七十四条

婚姻をしようとする者は、左の事項を届書に記載して、その旨を届け出なければならない。

一　夫婦が称する氏

二　その他法務省令で定める事項

資料② 岡山県議会意見書（令和3年3月19日）

「選択的夫婦別姓制度の法制化に反対する意見書」（抜粋）

家族は社会の基盤である。家族が同じ姓を名乗る夫婦同姓制度は、家族の絆や一体感の維持、子供の福祉に資するものであり、社会の維持にとっても極めて重要な制度である。

夫婦同姓制度を規定した民法第七五〇条については、平成27年に最高裁が合憲と判断しており、「氏（姓）は、家族の呼称としての意義があるところ、現行の民法の下においても、家族は社会の自然かつ基礎的な集団単位と捉えられ、その呼称を一つに定めることには合理性が認められる」としている。

このところ、選択的夫婦別姓制度の導入を巡る議論が見られる。夫婦別姓制度は、家族の絆や一体感を危うくしてしまうおそれがあるばかりか、親子で異なる姓を名乗ることは、子供の福祉にとっても悪影響を及ぼすことが強く懸念される。

選択制だからよいのではとの意見も聞かれるが、夫婦別姓を認めると、社会の構成要素である家族の呼称としての姓の意義が失われることになる。また、結婚による改姓の不利益を指摘する声もあるが、結婚後も旧姓を通称使用することで解決することが可能である。最高裁も、そうした不利益は「氏（姓）の通称使用が広まることにより一定程度は緩和され得る」と指摘しており、旧姓の通称使用は既に一般化しているとも言える。少なくとも、**選択的夫婦別姓制度について、国民の中に広くコンセンサスができていない現状で、拙速に制度を導入すれば、我が国の将来に大きな禍根を残しかねない。**

よって、国においては、家族の絆や一体感の維持と子供の健全育成を願い、揺るぎない日本社会を次世代に継承するため、選択的夫婦別姓を認める民法の改正を行わないよう強く求める。

資料③　熊本県議会意見書（令和3年7月5日）

「夫婦・親子同氏を維持し、旧姓の通称使用の拡充を求める意見書」（抜粋）

近年、夫婦が別の姓を名乗ることもできる、選択的夫婦別姓制度を盛り込んだ民法改正の議論がある。夫婦別姓は子供が生まれれば、必然的に親子の間で姓が異なる親子別姓をもたらし、ひいては兄弟別姓をもたらす結果を招き、社会の基盤である家族の在り方に重大な問題を引き起こしかねない。平成29年の内閣府の世論調査では、別姓は子供にとって好ましくないという声は六十二・六％にも上っている。

また、**同調査では、同姓（通称使用含む）を名乗るのが良いという考え方が五十三・七％、別姓導入賛成は四十二・五％と意見が分かれており、しかも、調査全体の**

割合から見れば自ら別姓を積極的に希望する者は一割にも満たず、夫婦別姓の導入は、国民的世論の賛成を得ているとは言えない。

夫婦の姓の在り方については、昨年12月の政府の「第五次男女共同参画基本計画」の策定にあたっても議論となり、政府の結論は「戸籍制度と一体となった夫婦同氏制度の歴史を踏まえ、また家族の一体感、子供への影響や最善の利益を考える視点も十分に考慮」するとされ、また「婚姻により改姓した人が不便さや不利益を感じることのないよう……引き続き旧姓の通称使用の拡大やその周知に取り組む」と明記された。

また、今年6月23日に、最高裁は「社会の変化や国民の意識の変化などを踏まえても、２０１５年の合憲判断を変更すべきものとは認められない」と示した。

よって、国におかれては、第五次基本計画で定められたように家族の一体感、子供への影響を考慮し、夫婦・親子同氏制度を維持しつつ、旧姓の通称使用の更なる拡充をはかり、社会生活上の不利益を解消するため、環境を整備されるよう強く要望する。

資料④ 江戸川区議会意見書（令和３年10月28日）

「選択的夫婦別姓制度の法制化に向けた議論を求める意見書」（抜粋）

平成30年２月に内閣府が公表した世論調査において、**夫婦同姓も夫婦別姓も選べる選択的夫婦別氏（姓）制度の導入に賛成または容認すると答えた国民は六十六・九％であり、反対の二十九・三％を大きく上回ったことが明らかになりました。**

しかし、現行の民法では、婚姻時に夫婦のいずれか一方が姓を改めることと規定しています。このため、社会的な信用と実績を築いた人が望まない改姓をすることで、自己同一性を喪失し苦痛を伴う、一部の資格証では旧姓の使用が認められない、姓を維持するために法的な保障の少ない事実婚を選択せざるを得ないなどの問題が生じています。

政府は旧姓の通称使用の拡大の取り組みを進めていますが、ダブルネームを使い分ける負担の増加、社会的なダブルネーム管理コスト、個人識別の誤りのリスクやコストを増大させる等の問題も指摘されています。また、通称使用では、自己同一性を喪失する苦痛を解消するものにはならず、根本的な解決策にはなりません。

また、少子高齢化による一人っ子同士の結婚や子連れ再婚、高齢での結婚が増え、改姓を望まないと考える人や現行の民法では改姓をしなければならないことから結婚を諦めてしまう人がいるため、一層非婚や少子化につながる要因にもなっています。

このような状況から、国連女性差別撤廃委員会は、日本政府に対し女性が婚姻前の姓を保持する選択を可能にするよう再三にわたり民法の改正を勧告しています。

さらに平成27年12月の最高裁判決に引き続き、令和3年6月の最高裁決定においても、夫婦同姓規定が合憲とされる一方、夫婦の氏に関する制度のあり方については、国会で論ぜられ、判断されるべきであるとされたところですが、依然として国会での議論は進んでいない状況です。

よって、江戸川区議会は、国会及び政府に対し、選択的夫婦別姓制度の法制化に向けた積極的な議論を行うよう強く要望します。

資料⑤　京都府亀岡市議会意見書（令和3年6月25日）

「選択的夫婦別姓制度の法制化について深い議論を求める意見書」（抜粋）

２０１８年2月に内閣府が公表した世論調査では、**夫婦同姓も夫婦別姓も選べる選択的夫婦別姓制度の導入に賛成と答えた国民は四十二・五%となり、反対の二十九・三%を上回っています。**

また、同年3月20日の衆議院法務委員会において、夫婦同姓を義務づけている国は、世界で日本だけであることを法務省が答弁しました。男女同権の理念に則り、２００３年から日本政府に対して改善勧告を続けてきた国連女子差別撤廃委員会は、２０１６年3月の第七回及び第八回報告に対する最終見解において、改めて「女性が婚姻前の姓を保持できるよう夫婦の氏の選択に関する法規定を改正すること」を求めています。（中略）

家族のあり方が多様化する今、最高裁判決の趣旨を踏まえて国民的議論を進め、適切な法的選択肢を用意することは、国会及び政府の責務であると考えます。

資料⑥　夫婦同姓規定を合憲とする最高裁大法廷判決（平成27年12月16日）

（原告は、夫婦が婚姻の際に夫又は妻の氏を称すると定めた民法七〇五条の規定は憲法十三条、十四条、二十四条に違反するとし、立法の不作為を理由に国に対し国家賠償法に基づき損害賠償を請求。一審東京地裁判決が平成25年に訴えを退け、二審東京高裁判決も同判断を支持。原告側が上告していた。最高裁は民法を合憲とする初の判決を言い渡し、賠償請求も退けた）

《合憲判断の要旨》

1（憲法十三条に違反しない）

氏名は人格権の一内容を構成するが、具体的な法制度を離れて、氏が変更されること自体を捉えて直ちに人格権を侵害し違憲であるか否かを論ずることは相当でない。本件は自らの意思に関わりなく氏を改めることが強制されるというものではない。氏が親子関係など一定の身分関係を反映し、婚姻を含めた身分関係の変動に伴って改められることがあり得ることは、その性質上予定されている。

2（憲法十四条一項に違反しない）

本件規定は夫婦がいずれの氏を称するかを夫婦となろうとする者の間の協議に委ねているのであり、本件規定の定める夫婦同氏制それ自体に男女間の形式的な不平等が存在するわけではない。協議の結果として夫の氏を選択する夫婦が圧倒的多数を占めているとしても、それが本件規定の在り方から生じた結果であるということはできない。

3（憲法二十四条に違反しない）

民法の規定は婚姻の効力の一つとして夫婦が夫または妻の氏を称することを定めたもので、婚姻することの直接の制約を定めたものではない。家族は社会の自然かつ基礎的な集団単位と捉えられ、その呼称を一つに定めることには合理性が認められる。家族という一つの集団を構成する一員であることを実感することに意義を見いだす考え方も理解でき、子の立場としていずれの親とも等しく氏を同じくすることによる利益を享受しやすいといえる。改姓する者が不利益を受ける場合があることは否定できないが、婚姻前の氏を通称として使用することまで許さないというものではなく、上記の不利益はこのような氏の通称使用が広まることにより一定程度は緩和され得るものである。

資料⑦ 夫婦同姓規定を合憲とする最高裁大法廷決定（令和３年６月23日）

（原告は、「夫は夫の氏、妻は妻の氏を称する」旨を記載した婚姻の届出が不受理処分を受けたことは、憲法十四条、二十四条、九十八条に違反して不当であるとして、戸籍法一二二条に基づき、届出の受理を命ずるよう申し立てた。家裁は訴えを退け、東京高裁も即時抗告を棄却したため、最高裁に特別抗告。最高裁は平成27年判決を踏襲し、夫婦同姓規定を合憲とする決定を下した）

《合憲判断の要旨》

民法七五〇条の規定が憲法二十四条に違反するものでないことは、当裁判所の判例とするところであり（「平成27年大法廷判決」）、上記規定を受けて夫婦が称する氏を婚姻届の必要的記載事項と定めた戸籍法七十四条一号の規定もまた憲法二十四条に違反するものでないことは、平成27年大法廷判決の趣旨に徴して明らかである。平成27年大法廷判決以降にみられる女性の有業率の上昇、管理職に占める女性の割合の増加その他の社会の変化や、いわゆる選択的夫婦別氏制の導入に賛成する者の割合の増加その他の国民の意識の変化といった原判決が認定する諸事情等を踏まえても、平成27年大法廷判決の判断を変更すべきものとは認められない。憲法二十四条違反という論旨は、採用することができない。

なお、夫婦の氏についてどのような制度を採るのが立法政策として相当かという問題と、夫婦同氏制を定める現行法の規定が憲法二十四条に違反して無効であるか否かという憲法適合性の審査の問題とは、次元を異にするものである。本件処分の時点において本件各規定が憲法二十四条に違反して無効であるといえないことは上記のとおり、国会で論ぜられ、判断されるべき事柄にほかならないというべきである。

資料⑧ 婚姻前の氏の通称使用に関する法律案（概要）

《目的》

この法律は、「夫婦の氏が同一であること」を維持しつつ、婚姻前の氏を通称として称する機会を確保するため、戸籍に「婚姻前の氏を通称として使用する」旨を記載する制度を設けるとともに、国、地方公共団体、事業者その他公私の団体は婚姻により氏を改めた者が婚姻前の氏を通称として称するために必要な措置を講ずる責務を有すること等について定め、もって婚姻により氏を改めた者が不利益を被ることの防止及び婚姻前の氏の通称使用についての社会全体における統一性の確保に資することを目的とする。（第一条）

《内容》

1．戸籍に「婚姻前の氏を通称として使用する」旨を記載する制度を設けることとしている。（第二条）

婚姻前の氏を通称として称しようとする者は、婚姻届にその旨を付記して届け出なければならない。

2．婚姻により氏を改めた者が婚姻前の氏を通称として称するために必要な措置を、国、地方公共団体、事業者その他公私の団体が講ずる責務を有するものとする旨の規定を設ける。（第三条）

①国、地方公共団体、事業者その他公私の団体は、法令により氏名の記載又は記録を要する場合において、届出をした者については、婚姻前の氏を「併記」（戸籍氏名と婚姻前の氏の併記）する方法により、婚姻前の氏を通称として称することができるよう、必要な法制上の措置その他の措置を講ずる責務を有する。

②国、地方公共団体、事業者その他公私の団体は、届出をした者が、職業生活その他の社会生活の幅広い分野における活動において、婚姻前の氏を通称として称する機会を確保するため、①の措置との整合性に配慮しつつ、当該活動の内容、性質等を踏まえ、必要かつ相当と認められる措置を講ずるよう努めるものとする。

3．経過措置として、法律施行前に婚姻によって氏を改めた者であって婚姻前の氏を通称として称しようとする者は、婚姻中に限り、配偶者との合意に基づき、この法律の施行の日から一年以内に、婚姻前の氏を通称として称する旨を届け出なければならない。

著者略歴

椎谷 哲夫（しいたに・てつお）

ジャーナリスト（日本記者クラブ会員）・皇學館大学特別招聘教授
昭和30年、宮崎県生まれ。早稲田大学政治経済学部卒業、同大学院社会科学研究科修士課程修了。中日新聞社（東京新聞・中日新聞）で警視庁、宮内庁、警察庁等を担当、関連会社役員などを経て編集委員を最後に退任。令和2年夏に硫黄島の戦没者遺骨収集に参加。現在、警察官向け教養誌などに皇室関連記事を連載。著書に『敬宮愛子さまご誕生』（明成社）、『皇室入門』（幻冬舎新書）。

本文・裏表紙イラスト／くまがえ　みか

夫婦別姓に隠された〝不都合な真実〟
――「選択的」でも賛成できない15の理由

令和三年九月十七日　初版第一刷発行
令和四年二月十四日　初版第二刷発行

著　者　椎谷　哲夫
発行者　田尾　憲男
発　行　株式会社明成社
〒一五〇―〇〇三一
東京都渋谷区桜丘町二十三番十七号
シティコート桜丘四〇八
電　話　〇三（六四一六）四七七二
ＦＡＸ　〇三（六四一六）四七七八
https://meiseisha.com

印刷所　モリモト印刷株式会社

乱丁・落丁は送料当方負担にてお取替え致します。

ISBN978-4-905410-65-2 C0032